Guide des collections *musée Matisse* Nice

Remerciements

Cette publication a pu être réalisée grâce à la compréhension
des héritiers Matisse et à la collaboration de la Ville de Nice.

Sommaire

Introduction

Destiné à un large public, cet ouvrage se propose de faciliter la visite du musée Matisse et la découverte de l'œuvre de l'artiste, afin qu'au plaisir visuel s'ajoute une meilleure compréhension de sa démarche, des principales étapes de son travail et de la logique qui anima cette évolution, fruit d'une recherche et d'un renouvellement constants. En cela, il répond au souhait même de Matisse que l'on abordât son œuvre sans s'arrêter à une « apparente facilité[1] ».

L'expérience qu'offre le musée est unique en raison de son histoire, de ses liens avec Henri Matisse et sa famille, ainsi que de la richesse de ses collections représentatives de son œuvre.

Enfin, cet ouvrage contient les reproductions des œuvres les plus importantes présentées au musée, afin que les visiteurs puissent en conserver un souvenir plus exact et prolonger le plaisir qu'ils ont eu à les contempler.

1. Lettre à Henry Clifford, publiée en anglais en préface au catalogue de l'exposition *Henri Matisse, Retrospective Exhibition of Paintings, Drawings and Sculpture Organized in Collaboration with the Artist*, Philadelphie, Philadelphia Museum of Art, 1948. Le texte français est paru dans le catalogue de l'exposition *Henri Matisse, les grandes gouaches découpées*, Paris, musée des Arts décoratifs, 1961.

La Villa des Arènes, musée Matisse

Matisse et Nice

L'inauguration en 1963 du musée Matisse de Nice reflète le profond attachement de l'artiste à cette ville, à la suite du premier séjour qu'il y fit, en 1916-1917, et où il mourut le 3 novembre 1954, peu après lui avoir fait don d'un ensemble d'œuvres. Depuis 1938, Matisse vivait au Régina. Il venait de terminer une de ses œuvres les plus importantes : la chapelle du Rosaire de Vence, inaugurée le 25 juin 1951. La sépulture de Matisse se trouve près du musée, dans le cimetière qui jouxte le monastère des Franciscains. L'artiste connaissait bien cette partie de la colline de Cimiez et ses jardins. De nombreuses photos le représentent dans son appartement du Régina transformé en atelier. De ses fenêtres, Matisse pouvait voir une grande partie de la ville, bordée par le bleu de la mer et baignée de lumière. En compagnie de son infirmière, Monique Bourgeois, qui deviendra sœur Jacques Marie, il se promena dans les jardins qui entourent cette Villa des Arènes dans laquelle sera inauguré le musée. Il a donc connu ce site lié au riche passé de la ville romaine de Cemenelum. Aussi, lorsque son épouse Amélie Matisse-Parayre et ses enfants, Marguerite, Jean et Pierre, firent à leur tour don à la Ville d'œuvres pour la création d'un musée, leur choix se porta sur la Villa des Arènes.

La Villa Garin de Cocconato – Villa des Arènes

Pour les visiteurs qui aiment l'histoire et sont intéressés par celle de la ville de Nice, le site de Cimiez est particulièrement riche. Il conserve les marques visibles de son passé, et ce depuis l'Antiquité, ainsi qu'en témoignent les vestiges des thermes romains et des arènes à proximité du musée d'Archéologie et le monastère franciscain du XVIIᵉ siècle. Grâce au fait que le vaste domaine qui s'étend autour de la Villa des Arènes, longtemps propriété de la famille Garin de Cocconato, soit resté privé jusqu'en 1950, le paysage a été remarquablement préservé.

Rebâtissant une modeste maison de campagne mentionnée dans des documents de 1622, Jean-Baptiste Gubernatis, consul de la ville, fit édifier en 1670 une imposante demeure fidèle aux caractéristiques du décor génois du XVIIe siècle, avec sur la façade de couleur ocre rouge des fenêtres ornées de trompe-l'œil. La villa sera achevée en 1685 par le petit-fils de Jean-Baptiste, lui aussi appelé à remplir de hautes fonctions en tant que président du sénat de la ville de Nice, mais aussi comme ambassadeur des ducs de Savoie en Espagne, au Portugal et à Rome. Tout ceci contribua à l'embellissement de la villa, de son architecture et de ses plafonds. Ce palais Gubernatis devint, en 1823, la propriété de Raymond Garin de Cocconato. Des modifications furent ensuite apportées, tant à l'intérieur qu'à l'extérieur de la villa, en réponse aux exigences d'une vie bourgeoise. La maison resta dans la famille Garin de Cocconato jusqu'en 1923, année de sa mise en vente par une lointaine héritière qui y habitait. La Ville, soucieuse de préserver ce cadre magnifique, soumit au conseil municipal la décision de déclarer ces lieux d'utilité publique, évitant de la sorte sa destruction ou son altération par un éventuel projet immobilier. En 1950, la Ville décide d'acheter la propriété. À partir de cette époque, la villa porte le nom de « Villa des Arènes ».

Vues de la salle des peintures et de la salle des gouaches découpées

L'histoire d'un musée

En 1963, les visiteurs venant à la Villa des Arènes pouvaient découvrir deux musées. Au rez-de-chaussée, le musée d'Archéologie conservait et présentait les objets mis au jour à la suite des fouilles menées sur le site à partir de 1953 par Fernand Benoît. Au premier étage se trouvait le musée Matisse, à l'époque un des premiers musées monographiques de la région. La famille du peintre porta une attention particulière à la présentation des collections. Ainsi le fils aîné de l'artiste, Jean, lui-même sculpteur, se chargea de l'accrochage des peintures et dessins et créa un mobilier destiné à exposer les études de *La Danse* et la collection de lithographies, aquatintes et eaux-fortes. Marguerite Duthuit, fille de Matisse, permit de rassembler les informations nécessaires à la mise en place de l'inventaire des collections. Pierre Matisse apporta son concours pour faciliter la réalisation du projet. En 1989, le musée d'Archéologie emménage dans de nouveaux locaux, dégageant ainsi l'ensemble de la villa. En 1993, un nouvel aménagement du musée Matisse permet d'augmenter les surfaces d'exposition, de créer un auditorium et une boutique-librairie, complétés au printemps 2002 par l'ouverture d'un atelier d'initiation artistique et d'un cabinet des dessins.

Les caractéristiques de la collection

« Henri Matisse en son vivant, puis Madame Henri Matisse, enfin tous les autres membres de la famille ont effectué d'importantes donations d'œuvres, objets ou souvenirs du peintre, à la Ville de Nice directement, mais toujours pour être réunis et présentés ensemble. [...] L'un des buts poursuivis est de former un ensemble harmonieux et cohérent, permettant de suivre la démarche et les différentes recherches du Maître. [...][2] »

Faciliter et promouvoir la compréhension de l'œuvre du peintre, tel était dès l'origine le but des donations successives effectuées par Henri Matisse et, par la suite, sa famille. Déjà, en 1952, Matisse avait répondu à l'attente de sa ville natale, le Cateau-Cambrésis, en participant personnellement à l'organisation d'une salle d'exposition dans la mairie de la ville. Le choix d'œuvres que Matisse décida d'y présenter répondait à son souci de rendre lisible l'évolution de son œuvre et d'éviter que sa recherche constante de dépouillement ne soit considérée comme l'expression d'une « apparente facilité ».

« J'ai toujours essayé de dissimuler mes efforts, j'ai toujours souhaité que mes œuvres aient la légèreté et la gaieté du printemps qui ne laisse jamais soupçonner le travail qu'il a coûté. Je crains donc que les jeunes, en ne voyant que l'apparente facilité et les négligences du dessin, se servent de cela comme d'une excuse pour se dispenser de certains efforts que je juge nécessaires[3]. »

La collection du musée Matisse[4] a été constituée dans cet esprit. Parmi les œuvres qu'elle rassemble, se trouvent les toutes premières peintures réalisées à partir de 1890, ainsi qu'une succession de peintures, dessins et sculptures qui illustrent le cheminement de l'artiste et témoignent des recherches et essais qu'il multiplia tant dans le domaine de la couleur que du graphisme. La grande particularité de cette collection est qu'elle comprend aussi des objets dont s'est entouré Matisse tout au long de sa vie et que l'on retrouve dans de nombreuses œuvres soit comme sujet central de la composition, soit comme éléments du décor.

2. Archives musée Matisse.
3. Lettre à Henry Clifford, *op. cit.*
4. La collection du musée se compose de donations faites à la Ville et de dépôts de l'État.

André Derain
Portrait de Henri Matisse
Paris, 1905
Huile sur toile, 93 x 52,5 cm
Don des héritiers de l'artiste, 1963

Le tableau *Fauteuil rocaille* et les objets modèles

La visite des collections

Les collections permanentes sont présentées dans la Villa des Arènes proprement dite. Au rez-de-chaussée, dans le hall d'entrée, un kouros qui se trouvait dans l'appartement du Régina accueille le visiteur qui peut se diriger vers la section peinture, à droite, ou vers la section art graphique, à gauche.

La collection de peintures du musée Matisse offre un panorama qui permet de suivre l'évolution du peintre et ses découvertes graphiques. Elle débute avec ses premières toiles telles que *Nature morte aux livres* de 1890 (ill. p. 16) et les copies qu'il réalisa au Louvre. Elle met en valeur les grandes étapes de la découverte de la lumière et de l'utilisation de la couleur.

La section graphique est organisée autour des différentes techniques expérimentées par le maître : dessins à la plume et au fusain, lithographies, aquatintes, eaux-fortes. Les œuvres graphiques sont exposées de façon temporaire selon les règles de la conservation préventive.

Ces deux sections permettent dans leur ensemble d'appréhender le dialogue qui s'est instauré entre le dessin et la peinture, le noir et blanc et la couleur.

Au premier étage, les salles sont thématiques : la chapelle du Rosaire de Vence, le séjour de Matisse à Tahiti, les odalisques, la danse et les papiers gouachés découpés.

Les expositions temporaires sont présentées dans la partie moderne du musée qui abrite l'auditorium et la boutique-librairie, ainsi que l'atelier d'initiation artistique dont les activités sont organisées par le service pédagogique du musée. Le cabinet des dessins y est aussi aménagé, lieu privilégié qui permet aux chercheurs, amateurs et étudiants de consulter, sur rendez-vous, certaines œuvres graphiques.

Nature morte aux grenades
Vence, novembre 1947
Huile sur toile, 80,5 x 60 cm
Don de Henri Matisse, 1953

14

Les premières œuvres – les copies

Nature morte d'après "La Desserte" (1893, ill. p. 17), copie d'une œuvre de Jan Davidsz de Heem, réalisée au musée du Louvre dans le cadre de ses études à l'École des beaux-arts, révèle l'intérêt de l'artiste pour le thème de la nature morte. Ce thème est repris comme élément dans une composition géométrique, *Nature morte d'après "La Desserte"*[5], réalisée en 1915. *Nature morte aux livres* (1890) nous montre comment l'artiste, à ses débuts, s'applique à travailler d'après modèle et dans une tradition classique. Signée *Essitam*, palindrome de son nom, cette œuvre illustre bien la première de ces grandes étapes d'étude et de recherche qui jalonnent l'évolution de Matisse. Une autre œuvre de cette période, *Christ mort – copie d'après Philippe de Champaigne*, marquera de son empreinte les recherches que fit Matisse à partir de 1947 pour la chapelle de Vence.

5. Collection The Museum of Modern Art, New York.

Nature morte aux livres
Bohain, 1890
Huile sur toile, 21,5 x 27 cm
Legs de Madame Henri Matisse, 1960

Nature morte d'après "La Desserte"
Paris, 1893
Huile sur toile, 72 x 100 cm
Legs de Madame Henri Matisse, 1960

La découverte de la lumière

Se rendant en Bretagne pour la première fois en 1895 avec le peintre Wery, Matisse y retourne à plusieurs reprises au cours de l'année 1896, et rencontre alors John Russell qui lui fait découvrir des œuvres de Van Gogh. *Village en Bretagne* nous permet de constater qu'à cette période la palette de l'artiste est composée d'une gamme allant du gris au beige.

Avec *La Cour du moulin à Ajaccio* (1898, ill. p. 19), les couleurs vibrent et s'attachent à transcrire les effets d'ombre et de lumière. *Les Gourgues* est un exemple révélateur de la quête de Matisse cherchant à pénétrer, comprendre et maîtriser l'art de ses contemporains. Il n'hésite pas à se fondre dans la technique impressionniste ou pointilliste, ce qui lui permettra de trouver sa propre voie à travers ces expériences multiples. En 1900, avec *Nature morte à l'harmonium*, Matisse rompt la composition traditionnelle. La perspective de l'œuvre mélange les plans. Le bouquet de fleurs est placé face aux spectateurs, tandis que l'harmonium est vu du dessus. Avec Paul Signac, en compagnie duquel il passe l'été 1904, Matisse expérimente la couleur en recourant à la technique du divisionnisme, comme le montre *Figure à l'ombrelle* (1905, ill. p. 20), semblable à l'œuvre *Luxe, calme et volupté*[6] dont Signac fit l'acquisition. Matisse gardera de cette technique un amour de la couleur pure qu'il utilisera d'une façon nouvelle et affirmée. De la tache colorée, il passe à l'application de la couleur en larges aplats qui, par effets chromatiques, modulent la surface de la toile en volume, en plan, en effets d'ombre et de lumière. Le *Portrait de Madame Matisse* (1905, ill. p. 21) constitue un exemple significatif de la période fauve.

6. Collection du musée national d'Art moderne,
Centre Georges Pompidou, Paris, en dépôt au musée d'Orsay, Paris.

La Cour du moulin à Ajaccio
Ajaccio, 1898
Huile sur toile, 38,5 x 46 cm
Legs de Madame Henri Matisse, 1960

Figure à l'ombrelle
Collioure, 1905
Huile sur toile, 46 x 37,5 cm
Legs de Madame Henri Matisse, 1960

Portrait de Madame Matisse
Collioure, 1905
Huile sur toile, 46 x 38 cm
Don des héritiers de l'artiste, 1963

Tête de Laurette sur fond vert
Paris, 1916
Huile sur bois, 36 x 27 cm
Legs de Madame Henri Matisse, 1960

Matisse à Nice

En 1916, Matisse vient à Nice et descend à l'hôtel Beau Rivage. Il décide de quitter les lieux en raison de la persistance du temps maussade qui l'inspire néanmoins à plusieurs reprises, comme dans *Tempête à Nice* (1919-1920, ill. p. 24). Cependant, grâce à un coup de mistral qui dissipe les nuages, il découvre la lumière de Nice et revient sur sa décision. Il séjournera ensuite plusieurs années à l'hôtel Méditerranée, de façon saisonnière, puis s'installera, en 1921, 1, place Charles-Félix, à une des extrémités du cours Saleya. Il loue tout d'abord le troisième étage de l'immeuble. Son appartement est transformé en véritable atelier. Il se plaît à disposer des objets et des tissus en organisant des compositions dans lesquelles posent ses modèles. C'est à cette période qu'il peint de nombreuses odalisques comme *Odalisque au coffret rouge* (1927, ill. p. 25), thème oriental inspiré de ses séjours en Algérie en 1906 et au Maroc à partir de 1911. Il aime également représenter les membres de sa famille, ou certains modèles jouant de la musique ou conversant, comme *Petite Pianiste, robe bleue*, peinte à Nice en 1924. Il s'installe au dernier étage de ce même immeuble en 1927, dominant ainsi la baie des Anges sur laquelle il fait ouvrir une large fenêtre, qu'on peut voir encore aujourd'hui.

Le voyage à Tahiti

La collection du musée présente plusieurs œuvres ayant une relation directe avec les souvenirs et les impressions que conservera Matisse de son voyage à Tahiti, dont *Papeete – Tahiti* (ill. p. 27), œuvre peinte à Nice entre 1935 et 1936. En 1930, il rend visite à son fils Pierre, installé en tant que galeriste à New York, puis part à Tahiti. Ce voyage revêtait pour l'artiste l'intérêt d'un changement, la découverte de nouvelles perspectives et d'une nouvelle lumière. De retour de ce séjour, en réponse à la demande que lui fit Marie Cuttoli qui, à cette époque, participait au mouvement de renouvellement de l'art de la tapisserie, Matisse réalisa un carton pour les manufactures de Beauvais, utilisant le souvenir qu'il avait de la vue depuis la fenêtre de l'hôtel Stuart à Papeete, qu'il reprit pour l'illustration de *Poésies* de Stéphane Mallarmé, publié par Skira en 1932. Matisse travailla sur une première version, *Papeete – Tahiti*, exposée au musée, puis sur une seconde, *Tahiti II*, faite d'aplats et conservée au musée du Cateau-Cambrésis. À cette même période, dans un format et une composition identiques, Matisse peint de 1935 à 1942-1943 les étapes successives de *Nymphe dans la forêt (La Verdure)* (ill. p. 26) dont le sujet rappelle la prédilection qu'il avait pour certains thèmes antiques.

Tempête à Nice
Nice, 1919-1920
Huile sur toile, 60,5 x 73,5 cm
Legs de Madame Henri Matisse, 1960

Odalisque au coffret rouge
Nice, 1927
Huile sur toile, 50 x 65 cm
Legs de Madame Henri Matisse, 1960

Nymphe dans la forêt (La Verdure)
Nice, 1935-1942 et 1943
Huile sur toile, 245,5 x 195,5 cm
Direction des Musées de France, donation Jean Matisse, dépôt de l'État, 1978

Papeete – Tahiti
Nice, 1935
Huile sur toile, 225 x 172 cm
Legs de Madame Henri Matisse, 1960

Le Régina – Vence

En 1943, Matisse décide de s'installer à Vence dans la Villa Le Rêve, située sur la route de Saint-Jeannet. Les événements et les menaces de bombardement l'amènent à s'éloigner de Nice et à quitter temporairement son appartement du Régina qu'il occupe depuis 1938. Même la paix revenue, il aimera alterner les séjours entre ces deux lieux. Les peintures que Matisse réalise durant cette période attestent qu'il atteint alors, malgré les circonstances difficiles, la plénitude de son art. Ainsi, *Nature morte aux grenades* (1947, ill. p. 14) dans laquelle sont présents tous les éléments caractéristiques de l'artiste : l'éclat des couleurs de même intensité posées en aplats, les effets chromatiques se dégageant de leur composition et donnant l'impression d'ombre et de lumière, d'un intérieur qui s'ouvre sur l'extérieur, le graphisme, les effets d'arabesque qui constituent des éléments d'harmonie, la joie de la couleur pure.

Durant cette période, Matisse peint les objets qui l'entourent, comme dans *Fauteuil rocaille* (1946, ill. p. 33), l'un des deux fauteuils conservés au musée (ill. p. 12) et dont Matisse fit l'acquisition chez un antiquaire niçois. Ces objets se retrouvent aussi dans les représentations de ses modèles saisis dans des positions variées, parfois même assoupis, ainsi *Figure endormie* (1941, ill. p. 30). Cette esquisse doit être vue en relation avec les dessins de cette même période rassemblés sous le titre du livre illustré *Dessins – Thèmes et variations* publié en 1943 par Martin Fabiani. Réalisé à Nice en 1936-1937, *Nu dans un fauteuil, plante verte* (ill. p. 29), dont le collier est suggéré par trois points bleus, porte la marque d'une simplification des formes. Cette œuvre peut être rapprochée de certaines sculptures telles que *Petit Nu au canapé* (1924), rappelant ainsi le lien que cultive Matisse entre la peinture, le dessin et la sculpture. *Lectrice à la table jaune* (1944, ill. p. 32), dont il existe plusieurs versions, unit le dessin et la couleur : sur deux aplats bleu et jaune, Matisse dessine en quelques traits le visage et la pose d'une jeune fille attentive au livre ouvert sur la table et entourée d'un bouquet de fleurs, de grenades et d'un verre à vin du Rhin.

Nu dans un fauteuil, plante verte
Nice, 1936-1937
Huile sur toile, 72,5 x 60,5 cm
Legs de Madame Henri Matisse, 1960

Figure endormie
1941
Huile sur toile, 59 x 72,5 cm
Don des héritiers de l'artiste, 1963

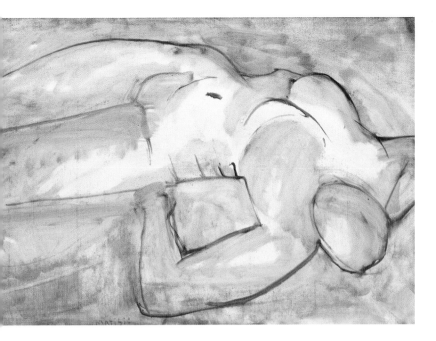

Nu renversé, étendu sur le dos
vers 1946
Huile sur toile, 60 x 92 cm
Don des héritiers de l'artiste, 1963

Lectrice à la table jaune
Vence, 1944
Huile sur toile, 53,5 x 72,5 cm
Legs de Madame Henri Matisse, 1960

Fauteuil rocaille
Vence, 1946
Huile sur toile, 92 x 73 cm
Legs de Madame Henri Matisse, 1960

Danseuse créole
1950
Papiers gouachés découpés, 205 x 120 cm
Don de Henri Matisse, 1953

34

Papiers gouachés découpés

Par la joie de ses tons lumineux et l'explosion de ses formes, *Danseuse créole* (1950, ill. p. 34) exprime tout l'art de Matisse. Cette œuvre permet de comprendre comment et pourquoi Matisse, dans la dernière partie de sa vie, renouvelle son mode d'expression par l'utilisation de la technique du papier coloré à la gouache puis découpé. Il réalise ainsi des compositions très variées, unissant la ligne, la couleur et la forme, proche en cela du travail du sculpteur taillant dans la matière. La diversité des combinaisons chromatiques et la mobilité des surfaces colorées offrent aussi à Matisse une grande liberté d'expression et de simplification.

Avec cette technique, l'artiste élabore des compositions de grandes dimensions comme *Fleurs et fruits* (1952-1953, ill. p. 38), présentée dans la partie moderne du musée au niveau − 1.
« Observez cette grande composition : feuillage, fruits, ciseaux ; un jardin. Le blanc intermédiaire est déterminé par l'arabesque du papier-couleur découpé qui donne à ce blanc-ambiant une qualité rare et impalpable. Cette qualité est celle du contraste. Chaque groupe particulier de couleurs a en lui-même une atmosphère particulière. C'est ce que l'appellerai l'ambiance expressive[7]. »

En 1931, Matisse a déjà utilisé le papier coloré découpé pour l'élaboration de *La Danse*, composition de grand format destinée à la fondation du docteur Barnes, collectionneur à Merion aux États-Unis. Ainsi, la position des danseurs, la composition des couleurs pouvaient être modifiées pour différentes recherches et essais d'harmonies. La collection du musée conserve des essais pour *La Danse*, première et deuxième version.

Matisse utilise cette technique comme moyen d'élaboration de maquettes destinées aux arts décoratifs. Ainsi, pour les sérigraphies *Océanie − Le Ciel* (1946-1947, ill. p. 45), *Océanie − La Mer* (1946, ill. p. 44) et pour la tapisserie *Polynésie − La Mer* (ill. p. 42) ainsi que pour une autre version, *Polynésie − Le Ciel*, il découpe des formes en relation avec le souvenir des lagons colorés, de la faune et de la flore de ces îles tropicales, vus lors de son voyage à Tahiti en 1930. Posées sur un simple fond monochrome dans les sérigraphies, ces formes claires se détachent sur fond quadrillé de deux bleus différents dans les tapisseries.

---

7. Propos de Henri Matisse rapportés par André Verdet dans *Prestiges de Matisse*,
Paris, éditions Émile Paul, 1952.

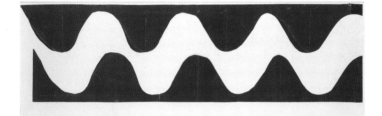

La Vague
vers 1952
Papiers gouachés découpés, 51,5 x 160 cm
Don des héritiers de l'artiste, 1963

Nu bleu IV
Nice, 1952
Papiers gouachés découpés, esquisses de formes au fusain, 103 x 74 cm
Direction des Musées de France, donation Jean Matisse, dépôt de l'État, 1978

Fleurs et fruits
Nice, 1952-1953
Papiers gouachés découpés, 410 x 870 cm
Legs de Madame Henri Matisse, 1960

En 1949, lorsque, après un séjour à Vence, Matisse retourne dans le grand appartement du Régina, il utilisera la surface des murs pour donner à cette technique toute son ampleur. Il recouvre de gouache de grands papiers blancs, y découpe des formes colorées que ses assistants vont épingler sur le mur. Selon les indications du maître, ils les assemblent, les déplacent, formant différents motifs jusqu'à ce que la composition donnant toute satisfaction à Matisse soit arrêtée ; les formes sont alors collées sur leur support définitif. Il utilise aussi cette technique pour effectuer des recherches pour des œuvres de plus petites dimensions. Ainsi, *Nu bleu IV* de 1952 (ill. p. 37) est constituée d'un ensemble de petites surfaces apposées les unes aux autres pour former le corps du personnage, dans un équilibre remarquable entre les vides et les pleins qui confère un sentiment d'unité – malgré les interruptions entre les surfaces – mettant en valeur l'harmonie de la pose.

La couleur bleue de la gouache se retrouve dans de nombreuses œuvres de cette période dont certaines sont conservées au musée. *Baigneuse dans les roseaux* (1952, ill. p. 40) et *Femme à l'amphore* (1953, ill. p. 41) jouent sur les contrastes qui s'instaurent entre le bleu et le blanc. Dans *La Vague* (vers 1952, ill. p. 36), l'artiste a découpé le papier bleu selon une ligne continue et ondulante et séparé les deux surfaces ainsi créées en les plaçant de manière décalée sur une feuille blanche. L'ondoiement de la vague apparaît. C'est ainsi que, dans ces diverses variations, le papier gouaché découpé a été utilisé par Matisse d'une façon unique dans l'histoire du XXᵉ siècle.

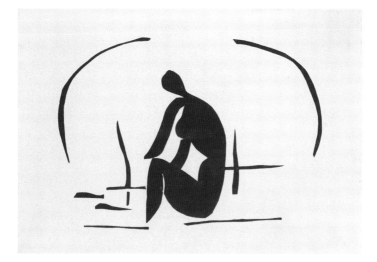

Baigneuse dans les roseaux
1952
Papiers gouachés découpés, 118 x 171 cm
Direction des Musées de France, Donation Jean Matisse, dépôt de l'État, 1978

Femme à l'amphore
1953
Papiers gouachés découpés,
174,5 x 51,5 cm
Dation Pierre Matisse,
dépôt du musée national d'Art moderne,
Centre Georges Pompidou, Paris, 1993

Polynésie – La Mer
d'après les papiers gouachés découpés de 1946
Tapisserie de laine, basse lice,
tissée à la Manufacture nationale de Beauvais, 196 x 314 cm
Direction des Musées de France, Donation Jean Matisse,
dépôt de l'État, 1978

Tapisseries – Sérigraphies

De retour de son voyage à Tahiti, imprégné du souvenir de la flore luxuriante et de la faune des îles du Pacifique et plus particulièrement de l'exubérance colorée des lagons, Matisse découpe un oiseau blanc et le place sur le mur beige de son appartement boulevard Montparnasse. De là, naîtront les compositions en sérigraphie *Océanie – Le Ciel* (1946-1947, ill. p. 45) et *Océanie – La Mer* (1946, ill. p. 44), puis les maquettes des tapisseries *Polynésie – Le Ciel* et *Polynésie – La Mer* (1946, ill. p. 42). La lumière a fasciné Matisse. Il traduit le sentiment qu'il a éprouvé pour la relation entre la mer et le ciel polynésiens en mêlant dans ses œuvres poissons et oiseaux.

« Je me baignais dans le lagon. Je nageais autour des couleurs des coraux soutenues par les accents piquants et noirs des holothuries. Je plongeais ma tête dans l'eau transparente sur le fond absinthe du lagon, les yeux grands ouverts [...] et puis brusquement je relevais la tête au-dessus de l'eau et fixais l'ensemble lumineux[8]. »

8. Propos de Henri Matisse in André Verdet,
Prestiges de Matisse, Paris, éditions Émile Paul, 1952.

Océanie – La Mer
1946
Sérigraphie sur toile de lin teinte,
exemplaire 25/30, 172,5 x 388,8 cm
Don de Henri Matisse, 1953

Océanie – Le Ciel
1946-1947
Sérigraphie sur toile de lin teinte,
exemplaire 10/30, 174 x 368 cm
Don de Henri Matisse, 1953

Portrait de femme (variation 01)
Nice, février 1942
Fusain et estompe sur papier, 52,6 x 40,5 cm
Legs de Madame Henri Matisse, 1960

Dessins

« Mon éducation a consisté à me rendre compte des différents moyens d'expression de la couleur et du dessin. Mon éducation classique m'a naturellement porté à étudier les Maîtres, à les assimiler autant que possible en considérant soit le volume, soit l'arabesque, soit les contrastes, soit l'harmonie et à rapporter mes réflexions dans mon travail d'après nature, jusqu'au jour où je me suis rendu compte qu'il m'était nécessaire d'oublier le métier des Maîtres ou plutôt de le comprendre, d'une manière toute personnelle. N'est-ce pas la règle de tout artiste de formation classique? Ensuite vint la connaissance et l'influence des arts de l'Orient[9]. »

Par ces mots, Matisse nous permet de comprendre dans quel état d'esprit il a dessiné tout au long de sa vie. L'importante collection de dessins du musée qui couvre la période 1892-1952 permet de suivre les recherches, étapes et essais de l'artiste, et constitue également un fonds de grande valeur pour l'étude de l'art graphique. Des dessins académiques comme *Étude de vieillard assis* vers 1893-1895, *Étude d'Antique (Hermès rattachant sa sandale)* vers 1893-1895 et d'autres études que Matisse réalise pour entrer aux Beaux-Arts montrent l'application qu'il mit à comprendre les Maîtres, leur esprit et leur technique. Avec la période fauve (1905), le dessin va s'imposer, devenir œuvre à part entière dans l'expression artistique, et ne sera plus cantonné à des études préparatoires ou à des esquisses. Le dessin que Matisse réalise à Saint-Tropez en 1904, *Paysage de Saint-Tropez* (ill. p. 49), illustre la passion qu'il ressent pour la nature, la lumière du paysage qui s'étend jusqu'à la mer. Il s'introduit dans la perspective dessinée en représentant sa propre main tenant un crayon et le papier soutenu par son pied.
« Mon dessin au trait est la traduction directe et la plus pure de mon émotion[10]. »

9. *Le Point* n° 21, juillet 1939.
10. *Ibid.*

Tout en conservant le goût de la formation classique qu'il a reçue, Matisse explore les méthodes graphiques lui permettant de préserver la lumière dans sa représentation du dessin. Il y travaille en utilisant le fusain : *Nu renversé et feuillage* (1936, ill. p. 50), *Nu couché de dos* (1944, ill. p. 51). Puis, imprégné de cette expérience, il utilise la plume : « Ces dessins sont toujours précédés d'études faites avec un moyen moins rigoureux que le trait, le fusain par exemple ou l'estompe, qui permet de considérer simultanément le caractère du modèle, son expression humaine, la qualité de la lumière qui l'entoure, son ambiance et tout ce qu'on ne peut exprimer que par le dessin[11]. » Le trait du dessin apparaît net et vif, se détachant sur le gris de l'estompe qui a effacé les autres traits, comme dans le dessin *Portrait de femme (variation 01)* (1942, ill. p. 46). Par étapes successives, Matisse s'approche de ce qui est essentiel : « C'est pour libérer la grâce, le naturel que j'étudie tellement avant de faire un dessin à la plume[12]. » Ainsi pour les dessins à la plume rassemblés dans le livre illustré *Dessins – Thèmes et variations*, en particulier *Jeune femme et feuillage (variation C 4)* (1941, ill. p. 53).

« Je vous ai montré, n'est-ce pas, ces dessins que je fais, ces temps-ci, pour apprendre à représenter un arbre, les arbres ? Comme si je n'avais jamais vu, dessiné d'arbres[13] ? » L'écrivain Louis Aragon, ami de Matisse et dont l'artiste fit plusieurs portraits dont *Profil d'homme (Aragon)* (1942, ill. p. 52), rapporte ses propos sur la manière dont il étudie la façon de peindre un arbre. Ce motif que l'on retrouve dans *Arbre (Le Platane)* (1951, ill. p. 57), ainsi que dans de nombreuses études, Matisse le peindra également dans l'angle de la salle à manger de la Villa Natacha appartenant à l'éditeur Tériade. Ce dessin au pinceau et encre de Chine avec des repentirs à la gouache et ajouts fut une des grandes expériences de Matisse, car il y matérialisa le fruit de ses intuitions et recherches, se rapprochant des préceptes orientaux qui invitent le dessinateur à entrer dans une relation étroite avec son sujet.

11. *Ibid.*
12. *Ibid.*
13. "Matisse-en-France", 1942, in Aragon,
Henri Matisse, roman, Paris, Gallimard, 1971.

Paysage de Saint-Tropez
Saint-Tropez, vers 1904
Crayon graphite sur papier, 30,9 x 19,8 cm
Legs de Madame Henri Matisse, 1960

Nu renversé et feuillage
Nice, février 1936
Fusain et estompe sur papier, 32,9 x 50,2 cm
Legs de Madame Henri Matisse, 1960

Nu couché de dos
Vence, mai 1944
Fusain et estompe sur papier, 38,2 x 56,6 cm
Legs de Madame Henri Matisse, 1960

Profil d'homme (Aragon)
Nice, 1942
Plume et encre de Chine sur papier, 53 x 40,5 cm
Legs de Madame Henri Matisse, 1960

Jeune Femme et feuillage (variation C 4)
Nice, 1941
Plume et encre de Chine sur papier, 41 x 53 cm
Don de Henri Matisse, 1953

Grande Tête, Masque
Nice, 1951
Pinceau et encre de Chine sur papier, 75 x 75 cm
Direction des Musées de France, Donation Jean Matisse,
dépôt de l'État, 1978

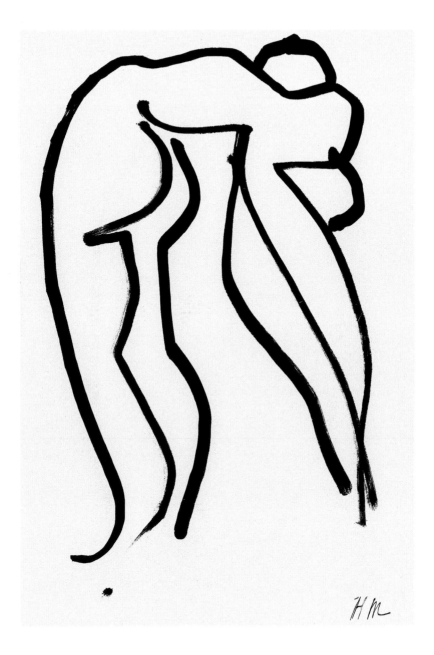

Grand Acrobate
Nice, 1952
Pinceau et encre de Chine sur papier, 105 x 75 cm
Direction des Musées de France, Donation Jean Matisse,
dépôt de l'État, 1978

Matisse observe et s'exerce : « J'ai donc dessiné les feuilles au fur et à mesure que je montais mes branches, par un dessin simplifié, par exemple[14]. » En poursuivant par ce biais le souhait qu'il nourrit d'un « langage commun [...] L'importance d'un artiste se mesure à la quantité de nouveaux signes qu'il aura introduits dans le langage plastique[15]. » Le texte manuscrit que Matisse fera figurer dans le livre illustré *Jazz*, édité par Tériade en 1947, indique : « Dans un figuier aucune feuille n'est pareille à une autre ; elles sont toutes différentes de forme ; cependant chacune crie : figuier. » Ainsi le dessin *Branche de figuier* (1948, ill. p. 56). L'important c'est l'identification avec le sujet, seul garant du vrai dans sa représentation. « Chacun de ces dessins porte, selon moi, une invention qui lui est particulière et qui vient de la pénétration du sujet par l'artiste, qui va jusqu'à s'identifier parfaitement avec son sujet, de sorte que la vérité essentielle en question constitue le dessin. [...] L'exactitude n'est pas la vérité[16]. » À cela s'ajoute la grande simplicité et pureté que Matisse atteint avec l'utilisation du pinceau comme dans *Grande Tête, Masque* (1951, ill. p. 54) et *Grand Acrobate* (1952, ill. p. 55).

14. Lettre à André Rouveyre, 1943, coll. Bibliothèque royale de Copenhague.
15. "Matisse-en-France", 1942, *op. cit.*
16. Préface à *Portraits, Monte-Carlo*, éditions André Sauret, 1954.

Branche de figuier
Vence, 1948
Fusain et estompe sur papier, 52,7 x 47,8 cm
Legs de Madame Henri Matisse, 1960

Arbre (Le Platane)
Nice, décembre 1951
Pinceau et encre de Chine sur papier,
corrections à la gouache blanche, 150 x 150 cm
Direction des Musées de France,
Donation Jean Matisse, dépôt de l'État, 1978

Petit Bois clair
1906
Gravure sur bois sur papier, 46 x 28,6 cm
Don des héritiers de l'artiste, 1963

Gravures

Regarder l'œuvre gravé de Matisse, c'est pénétrer dans l'intimité la plus profonde de son art. « Certaines de mes gravures, je les ai faites après une centaine de dessins, après l'essai, la connaissance, la définition de la forme, et, alors, je les ai faites les yeux fermés[17]. » Matisse cherche à s'imprégner totalement des sujets qu'il traite jusqu'à les confronter à la matière, la plaque de cuivre, la pierre lithographique. Parmi les thèmes qu'il privilégie, se trouvent autoportraits, nus, odalisques, visages rassemblés souvent par séries comme les lithographies représentant des interprétations de la Vierge ou saint Dominique pour la chapelle du Rosaire de Vence. Matisse diversifiera la sensibilité de son expression en utilisant des techniques multiples qui se rattachent souvent à différentes périodes. L'eau-forte est sa technique de prédilection, mais il s'adonne également à la pointe sèche, à la gravure sur bois : *Petit Bois clair* (1906, ill. p. 58) ; au monotype : *Nu de face, main sur la hanche* (1914) ; et, à partir de 1938, à la linogravure : *La Sieste* (ill. p. 63), à l'aquatinte : *Bédouine – Souvenir de Manon* (1947, ill p. 62) et à la lithographie : *Pompadour mélancolique* (1951, ill. p. 61).

17. F. Fels, *Henri Matisse*, Paris, Chroniques du Jour, 1929.

Autoportrait
1944
Lithographie sur papier, 52,7 x 37,8 cm
Don des héritiers de l'artiste, 1963

Pompadour mélancolique
1951
Lithographie sur papier, 54,5 x 37,9 cm
Don des héritiers de l'artiste, 1963

Bédouine – Souvenir de Manon
1947
Aquatinte sur papier, 50,2 x 38,3 cm
Don des héritiers de l'artiste, 1963

La Sieste
1938
Linogravure sur papier, 34,2 x 46,3 cm
Don des héritiers de l'artiste, 1963

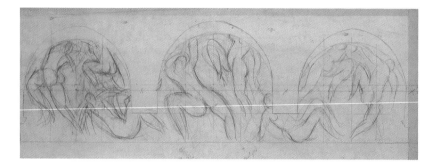

La Danse – première version, étude d'ensemble
1930-1931
Crayon graphite sur papier, 26,9 x 80,8 cm
Don des héritiers de l'artiste, 1960

La Danse
1931
Gouache sur papier, 14 x 38,5 cm
Don des héritiers de l'artiste, 1960

La danse

« J'aime beaucoup la danse. La danse est une chose extraordinaire : vie et rythme. Il m'est facile de vivre avec la danse[18]. » À plusieurs reprises au cours de son œuvre, Matisse traite le sujet de la danse. Dans la sculpture sur bois de 1907 *La Danse* qui fait partie des collections du musée, trois danseuses formant une ronde s'enroulent autour de la forme cylindrique du bois. De même, une étude[19] pour le panneau de gauche d'un triptyque en céramique, représentant des nymphes et satyres[20], reprend ce thème. Les études préparatoires pour *La Danse* destinée à la fondation du docteur Barnes constituent un ensemble permettant de suivre les différentes étapes du travail de l'artiste. Ainsi, trois esquisses peintes sont des variations sur les couleurs tandis que plusieurs croquis, esquisses et lithographies témoignent de la recherche du mouvement et de l'adaptation du motif aux trois grandes arcatures, placées au-dessus des portes-fenêtres de la fondation, à six mètres de hauteur et dans une salle conservant des chefs-d'œuvre de l'art moderne. À la suite de son voyage à Tahiti en 1930, Matisse se rendit à Pittsburgh pour faire partie du jury décernant le prix Carnegie. À cette occasion, il rencontra le docteur Barnes et fit connaissance de sa collection : « Une des choses les plus frappantes en Amérique, c'est la collection Barnes qui est installée dans un esprit très utile pour la formation des artistes américains[21] », écrivit-il à Tériade. De retour en France, il commence son travail d'étude, retourne aux États-Unis, puis loue un hangar en janvier 1931, à Nice, rue Désiré-Niel, pour travailler à l'échelle sur les trois panneaux de *La Danse*. Matisse utilise des papiers qu'il colore, découpe et place directement sur la composition. Il peut ainsi les modifier, multipliant les variations sans devoir retravailler l'ensemble. Des erreurs de mesure obligent Matisse à réaliser une deuxième version de cette œuvre monumentale. Grâce à cela, on peut voir actuellement la première version au musée d'Art moderne de la Ville de Paris. La collection du musée Matisse présente des études pour ces deux œuvres.

18. Georges Charbonnier, "Entretien avec Henri Matisse", in *Le Monologue du peintre*, t. 2, Paris, Julliard, 1960.
19. *Danseuse*, 1907, céramique, collection musée Matisse, Nice.
20. *Nymphes et satyres*, 1908, céramique. Triptyque commandé à Matisse par Karl Ernst Osthaus. Collection Karl Ernst Osthaus-Museum, Hagen, Allemagne.
21. "Entretien avec Tériade", *L'Intransigeant*, 19, 20 et 27 octobre 1930.

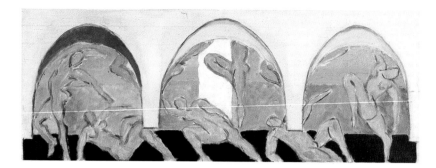

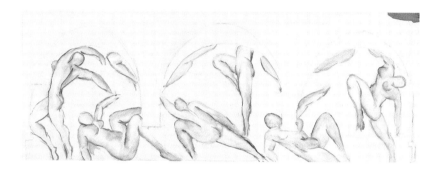

La Danse – Harmonie bleue
1930-1931
Huile sur toile, 33 x 87 cm
Don des héritiers de l'artiste, 1960

La Danse – Harmonie grise
1930-1931
Huile sur toile, 33 x 87,8 cm
Don des héritiers de l'artiste, 1960

La Danse – Harmonie ocre
1930-1931
Huile sur toile, 33 x 87 cm
Don des héritiers de l'artiste, 1960

La Danse
1933
Papiers gouachés découpés, 31 x 77,5 cm
Don des héritiers de l'artiste, 1960

Jazz
Planches au pochoir d'après les papiers
gouachés découpés de Henri Matisse
Paris, Tériade Éditeur, 1947
Don des héritiers de l'artiste, 1963

Planche I, *Le Clown*
Planche III, *Monsieur Loyal*

Jazz

Édité en 1947, *Jazz*[22] est une œuvre originale. S'y retrouvent les thèmes et images accumulés par Matisse : « Ces images aux timbres vifs et violents sont venues de cristallisations de souvenirs du cirque, des contes populaires ou de voyages. J'ai fait ces pages d'écritures pour apaiser les réactions simultanées de mes improvisations chromatiques et rythmées, pages formant comme un "fond sonore" qui les porte, les entoure et protège ainsi leurs particularités. »

Pour composer ces pages Matisse utilise la technique du papier coloré à la gouache dans lequel il découpe aux ciseaux des formes semblables à des sculptures bi-dimensionnelles :

« Dessiner avec des ciseaux.

Découper à vif dans la couleur me rappelle la taille directe des sculpteurs.

Ce livre a été conçu dans cet esprit[23]. »

Le texte même que Matisse écrit de sa main est loin d'être indifférent, il exprime sa vision de l'art, du bonheur, de l'avenir, en relation étroite avec les motifs imprimés : « Mes courbes ne sont pas folles. »

22. Paris, Tériade Éditeur.
23. *Ibid.*

Planche IV, *Le Cauchemar de l'éléphant blanc*
Planche V, *Le Cheval, l'écuyère et le clown*

Planche VI, *Le Loup*
Planche VII, *Le Cœur*

un moment
d'libres.
Ne devrait-on
pas faire ac.
complir un
grand voyage
en avion aux
jeunes gens
ayant terminé
leurs études.

54

Planche VIII, *Icare*
Planche XVI, *Le Destin*

de contes
populaires
ou de voyage.
J'ai fait-ces
pages d'écri-
tures pour
apaiser les
réactions
simultanées

142

Planche XVIII, *Le Lagon*
Planche XX, *Toboggan*

La Serpentine
Issy-les-Moulineaux, 1909
Bronze à la cire perdue, h. 56 cm
Direction des Musées de France,
donation Jean Matisse, dépôt de l'État, 1978

Sculptures

En 1978, la collection du musée s'est enrichie, grâce à la donation Jean Matisse, de cinquante-sept sculptures qui représentent de fait la presque totalité de l'œuvre sculpté du peintre.

« J'aime modeler autant que peindre – Je n'ai pas de préférence. Si la recherche est la même, quand je me fatigue d'un moyen, alors je me tourne vers l'autre – et je fais souvent, "pour me nourrir", la copie en terre d'une figure anatomique[24]. »

Observer ces sculptures, présentées parmi les autres œuvres de l'artiste, permet de mieux comprendre la relation qu'il établit entre le dessin, la peinture, le travail de la forme et de la ligne en deux dimensions, puis en trois à travers le modelage.

Matisse travaille la terre – *Figure nue debout, bras levés* (vers 1950) – ou le plâtre. L'œuvre est ensuite confiée à un fondeur pour être réalisée en bronze. La plupart des sculptures sont de petites dimensions à l'exception des *Dos* dont les étapes *II* (1913, ill. p. 82) et *III* (1916-1917, ill. p. 83) sont présentées dans le hall d'entrée de la Villa. Ces quatre bas-reliefs qui relèvent de l'art monumental ont été réalisés sur une longue période s'étendant de 1909 à 1930.

La collection que présente le musée offre un large panorama qui se déroule à travers le temps. Un premier ensemble, correspondant aux années 1894-1905, se compose d'œuvres comme *Profil de femme* (1894), *Jaguar dévorant un lièvre, d'après Barye* (1899-1901), copie d'après le sculpteur animalier Antoine-Louis Barye, ou *Buste ancien* de 1900. Une des plus connues est *Le Serf* (1900-1903, ill. p. 78) pour laquelle posa Bevilacqua qui fut aussi le modèle de Rodin.

---

24. Clara MacChesney, "A Talk with Matisse, leader of Post-Impressionists",
The New York Times, 9 mars 1913.

Nu couché II
Nice, 1927
Bronze à la cire perdue, h. 28,1 cm
Direction des Musées de France,
donation Jean Matisse, dépôt de l'État, 1978

Deux Négresses
Collioure, 1907 - Paris, 1908
Bronze à la cire perdue, h. 46,5 cm
Direction des Musées de France,
donation Jean Matisse, dépôt de l'État, 1978

Le Serf
Paris, 1900-1903
Bronze à la cire perdue, h. 92,3 cm
Legs de Madame Henri Matisse, 1960

Nu debout, très cambré
Paris, 1904
Bronze à la cire perdue, h. 22,2 cm
Direction des Musées de France,
donation Jean Matisse, dépôt de l'État, 1978

Durant ses années fauves, Matisse sculpte une série de portraits, ceux de ses enfants ou amis, comme *Tête d'enfant – Pierre Matisse* (1905), *Tête de fillette – Marguerite* (1906), *Tête de faune* (1907, avec Jean Matisse pour modèle). *Tête d'enfant – Pierre Manguin* (1903-1905). De cette même époque date une série de nus de petites dimensions dont *Nu assis, bras sur la tête* (1904), *Nu debout, très cambré* (1904, ill. p. 79), *La Vie* (1906). En 1909, Matisse sculpte *La Serpentine* (ill. p. 74), œuvre remarquable mettant en valeur l'interprétation simplifiée et harmonieuse des formes. La série des cinq *Jeannette* permet de comprendre le travail de l'artiste qui, à partir d'un même modèle et d'une première étude réaliste, cherche à étudier chacun des éléments qui la composent, ainsi que leurs combinaisons possibles. Cette même approche se retrouve dans les trois sculptures *Henriette* (1925-1929).

Un dernier ensemble regroupe les ultimes sculptures de l'artiste, réalisées en 1949 et 1950, dont le *Christ* (1949) pour l'autel de la chapelle de Vence.

Jeannette I
Issy-les-Moulineaux, 1910
Bronze à la cire perdue, h. 62,5 cm
Direction des Musées de France,
donation Jean Matisse, dépôt de l'État, 1978

Jeannette II
Issy-les-Moulineaux, 1910
Bronze à la cire perdue, h. sans socle 26,6 cm
Direction des Musées de France,
donation Jean Matisse, dépôt de l'État, 1978

Jeannette III
Issy-les-Moulineaux, 1911
Bronze à la cire perdue, h. 60,3 cm
Direction des Musées de France,
donation Jean Matisse, dépôt de l'État, 1978

Jeannette IV
Issy-les-Moulineaux, 1911
Bronze à la cire perdue, h. 61,3 cm
Direction des Musées de France,
donation Jean Matisse, dépôt de l'État, 1978

Jeannette V
Issy-les-Moulineaux, 1913
Bronze à la cire perdue, h. 57,3 cm
Direction des Musées de France,
donation Jean Matisse, dépôt de l'État, 1978

Dos II
Issy-les-Moulineaux, 1913
Bronze à la cire perdue, h. 188 cm
Direction des Musées de France,
donation Jean Matisse, dépôt de l'État, 1978

Dos III
Issy-les-Moulineaux, 1916-1917
Bronze à la cire perdue, h. 190 cm
Direction des Musées de France,
donation Jean Matisse, dépôt de l'État, 1978

Chapelle du Rosaire de Vence, le chœur

La chapelle du Rosaire de Vence

La chapelle du Rosaire de Vence fut inaugurée le 25 juin 1951 en l'absence de Matisse qui était souffrant. Il en avait conçu l'aménagement, adapté au déroulement des cérémonies des sœurs dominicaines et des fidèles. Les dessins aux larges traits noirs, peints sur des panneaux de céramique blanche, figurant *Saint Dominique*, *La Vierge à l'Enfant*, et *Le Chemin de Croix* font face aux vitraux du bas-côté et à celui de l'autel, représentant l'Arbre de vie.

À propos de la chapelle, Matisse s'exprime ainsi dans une lettre adressée à Monseigneur Rémond : « Cette œuvre m'a demandé quatre ans d'un travail exclusif et assidu et elle est le résultat de toute ma vie active[25]. »

Le musée Matisse permet au visiteur de découvrir un ensemble d'études, dessins, gouaches découpées, maquettes qui mettent en évidence le cheminement créateur parcouru par le maître, au cours duquel il travailla autant la couleur que la ligne, mais toujours dans une même logique : la recherche constante d'une plus grande simplicité.

25. Juin 1951. Cette lettre a été lue par le père Couturier lors de l'inauguration de la chapelle, puis publiée dans *L'Art Sacré*, n° 11-12, juillet 1951.

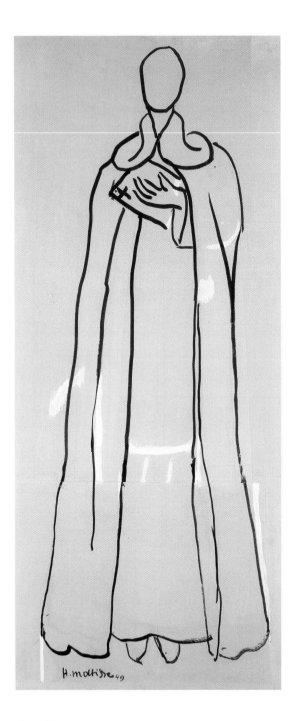

Saint Dominique
étude préparatoire pour la chapelle de Vence, Nice, 1949-1950
Pinceau et encre de Chine sur papier, corrections à la gouache blanche, 300 x 134,5 cm
Don des héritiers de l'artiste, 1960

Vierge à l'Enfant
étude préparatoire pour la chapelle de Vence, 1949
Pinceau et encre de Chine sur papier, 110 x 200 cm
Don des héritiers de l'artiste, 1960

Chasuble (dos et face) et étole vertes.
Maquette de vêtement et d'accessoire liturgique
pour la chapelle de Vence, 1950-1951
Papiers gouachés découpés

Les Abeilles
1948
Papiers gouachés découpés, 101 x 240 cm
Don des héritiers de l'artiste, 1963

«Tabac royal»
céramique vernissée
Legs de Madame Henri Matisse, 1960

Pichet à godrons
étain
Legs de Madame Henri Matisse, 1960

Pot paysan blanc à décor bleu
céramique vernissée
Legs de Madame Henri Matisse, 1960

La collection d'objets
ayant appartenu à Henri Matisse

C'est un des aspects exceptionnels de la collection du musée que de pouvoir présenter un grand nombre d'objets dont Matisse aimait s'entourer, comme nous le montrent les nombreuses photographies et les peintures sur lesquelles ils se trouvent représentés.

Plusieurs peuvent être ainsi identifiés comme le pot « Tabac royal », le pichet d'étain, les tasses à café, ou bien encore le fauteuil rocaille, peint en 1946. Le musée conserve aussi la table de marbre et la bergère Louis XV sur lesquelles certains modèles posèrent à la Villa Le Rêve à Vence. À cela s'ajoutent de nombreux objets provenant de différentes cultures et continents comme l'Afrique, l'Océanie et l'Asie. Ainsi, les moucharabiehs, le brûle-parfum mauresque côtoient des vases chinois et un tanka du Tibet. Mais une fois encore, plus que l'objet en soi, « ce qui est important, c'est la relation de l'objet à l'artiste, à sa personnalité, à la puissance qu'il détient[26]. »

26. "Henri Matisse on Modernism and tradition", *The Studio*, IX, n° 50, mai 1935. Retraduit de l'anglais.

Statuette chinoise
Chine, VIIe siècle, terre cuite et polychromie
Legs de Madame Henri Matisse, 1960

Guerrier chinois
céramique vernissée
Legs de Madame Henri Matisse, 1960

Statuette
métal
Legs de Madame Henri Matisse, 1960

Guéridon octogonal
bois polychrome
Legs de Madame Henri Matisse, 1960

Brasero
cuivre
Legs de Madame Henri Matisse, 1960

Moucharabieh rouge
tissu, 250,5 x 369,5 cm
Collection particulière

1869
Henri Matisse naît le 31 décembre au Cateau-Cambrésis (Nord). Enfance à Bohain.

1887-1889
Il entreprend des études de droit à Paris et devient clerc d'avoué à Saint-Quentin. Parallèlement, il suit les cours de dessin de l'école Quentin-Latour.

1890
Au cours d'une convalescence, Matisse commence à peindre.

1891-1892
À Paris, il abandonne le droit et décide de se consacrer à la peinture. Il s'inscrit à l'Académie Julian pour préparer le concours d'entrée aux Beaux-Arts.

1895
Gustave Moreau le remarque et lui donne accès à son atelier de l'École des beaux-arts. Il y rencontre Rouault, Camoin et Manguin. Voyage en Bretagne.

1898
Henri Matisse épouse Amélie Parayre. Voyage de noces à Londres. Séjour à Toulouse et Ajaccio.

1899
Il rencontre Derain. Suit des cours de sculpture à l'école de la rue Étienne-Marcel.

1901
Il expose au Salon des indépendants présidé par Signac et rencontre Vlaminck.

1903
Il participe à la fondation du Salon d'automne avec Derain, Puy et Rouault.

1904
Première exposition particulière chez Ambroise Vollard. Matisse passe l'été à Saint-Tropez auprès de Signac et Cross.

1905
Luxe, calme et volupté est exposé aux Indépendants et acquis par Signac. Il passe l'été à Collioure avec Derain. Au Salon d'automne, Matisse, Derain, Friesz, Manguin, Marquet, Puy, Rouault, Valtat et Vlaminck sont exposés dans la même salle et baptisés du nom de « Fauves ».

1906
La Joie de vivre est achetée par Léo Stein. Importante exposition chez Druet. Voyage en Algérie (Biskra). Il rencontre Picasso et s'intéresse à l'art nègre.

1909
Un amateur moscovite, Chtchoukine, lui commande deux décorations, *La Danse* et *La Musique*.

1910
Rétrospective à la galerie Bernheim Jeune.

1911
Il peint en Espagne, puis à Issy-les-Moulineaux (où il habite depuis 1909) et à Collioure. Il se rend à Moscou pour l'installation des décorations commandées par Chtchoukine.

1912-13
Il voyage au Maroc avec Camoin et Marquet.

1916
Matisse passe son premier hiver à Nice à l'hôtel Beau Rivage. « Quand j'ai compris que chaque matin je reverrais cette lumière, je ne pouvais croire à mon bonheur... »
Il rend sa première visite à Renoir à Cagnes.

1918
Il expose à la galerie Paul Guillaume avec Picasso. Il loue un appartement à Nice, 105, quai des États-Unis. Première visite à Bonnard.

1921
Il s'installe à Nice, 1, place Charles-Félix (cours Saleya). Il vivra dès lors la moitié de l'année à Nice et l'autre à Paris.

Biographie

1922
Série des *Odalisques*.

1930
Il part pour Tahiti et accepte à la fin de l'année
la commande d'une grande décoration pour
le docteur Barnes sur le thème de la danse.

1931
Matisse loue un atelier 8, rue Désiré-Niel dans
le but de réaliser *La Danse*. Pour le travail
préparatoire de cette décoration, il commence
à se servir des papiers gouachés découpés.

1934-35
Lydia Delectorskaya pose pour lui, puis devient
son assistante.

1938
Il s'installe à Cimiez, dans l'ancien hôtel Régina
transformé en appartements.

1941
Matisse est opéré d'une grave affection intestinale.
Il commence la série *Thèmes et variations* qu'il
poursuivra l'année suivante.

1942
Illustration des *Poèmes* de Charles d'Orléans.

1943
En juin, il s'installe à Vence à la Villa Le Rêve
pour fuir les menaces de bombardements sur
Nice.

1945
Il travaille aux cartons de *Polynésie – le Ciel*
et *Polynésie – La Mer*.

1947
Série des *Intérieurs à Vence*.
Publication de *Jazz*.

1948
Il commence à travailler à la décoration
de la chapelle du Rosaire pour les dominicaines
de Vence et utilise les gouaches découpées.

1949
Matisse se réinstalle au Régina.

1950
Importantes expositions à Nice et Paris.
Les gouaches découpées, de plus en plus
monumentales, se multiplient dans son grand
atelier de Cimiez.

1951
Le 25 juin, inauguration de la chapelle de Vence.
Exposition rétrospective au Museum of Modern
Art, New York.

1952
Inauguration du musée Matisse du Cateau-
Cambrésis.
Il réalise la série des *Nus bleus*, ultime
hommage à la beauté féminine.

1953
Matisse donne à la Ville de Nice, en vue
de la création d'un musée, les œuvres *Nature
morte aux grenades*, *La Danseuse créole*,
Océanie – Le Ciel, *Océanie – La Mer*, et quatre
dessins de la série *Thèmes et variations*.

1954
Matisse meurt le 3 novembre à Nice.
Il repose au cimetière de Cimiez.

Texte
Marie-Thérèse de Pulvénis,
Conservateur du musée Matisse, Nice

Édition
Gilles Fage, antenne éditoriale
Réunion des musées nationaux, Lyon
Nathalie Lavarenne, Nice

Conception graphique
835, Lyon

Relecture
Nathalie Robin

Révision (2009)
Burozoïque

Fabrication
Philippe Gournay

Impression et façonnage
Escourbiac France